Ein Pferdetag

Tiergeschichte mit vielen schönen Fotos

Text:
Sabine Oliver
Foto:
Heike Seewald

Buch Nr. 1
aus der Serie
Tierbücher

Ein Tierbuch von Pelikan

„Moni ist ein Pferdenarr! Wenn sie ein Pferd sieht, vergißt sie den Rest der Welt!" behauptet ihr Bruder Peter und fährt daher in den Sommerferien lieber zum Segeln ans Steinhuder Meer. „Da muß ich wenigstens nicht den ganzen Tag mit der Mistgabel herumrennen wie du auf Onkel Alfreds Bauernhof!" sagt er beim Abschied.
„Wär' auch schade um deine blitzsauberen weißen Klamotten!" spottete Moni. Es macht ihr gar nichts aus, auf dem Hof ihres Onkels, der eine Pferdezucht besitzt, für ein paar Wochen den Stallburschen zu spielen. Im Gegenteil: sie freut sich richtig darauf, den ganzen Tag mit Pferden zusammensein zu können. Wenn andere das „pferdenärrisch" fanden, na und? Ein bißchen verrückt war es ja schon. Und auch ein bißchen anders als Moni sich das vorgestellt hatte.
Ein Urlaubstag auf dem Hof sah ganz anders aus als die Urlaubstage, von denen die meisten träumen. Von wegen ausschlafen, faul herumhängen, in der Sonne liegen . . . Das war nicht drin! Monis Urlaubstage waren „Pferdetage" und die waren auch pferdemäßig anstrengend!

Monis Pferdetag beginnt schon morgens um sechs. Da klingelt der Wecker in der kleinen Dachkammer. Moni wäscht sich und macht sich rasch fertig. Unten in der großen Küche warten schon die anderen beim Frühstück. Auch Onkel Alfred ist da und Jessica, das blonde Mädchen aus Düsseldorf, mit dem sich Moni gleich am ersten Tag angefreundet hat.
Gleich nach dem Frühstück gehen Moni, Jessica und die anderen Pferdebetreuer zu den Ställen. Jetzt sind die Pferde mit dem Frühstück dran. Während die Tiere fressen und trinken, wird der Stall saubergemacht. Mit einer Mistgabel werden Pferdeäpfel und feuchtes Stroh aus den Boxen entfernt. Das saubere Stroh wird an den Rand geschoben und nach dem Säubern des Stallbodens wieder ausgebreitet. Neues Stroh wird aufgeschüttet. Der Stall ist sauber – jetzt müssen die Pferde geputzt werden!
Jeder hat ein Pferd, für das er besonders verantwortlich ist. Moni kümmert sich um Samson, einen bildschönen Braunen und Jessica sorgt für Prinz, einen gutmütigen Apfelschimmel. Wenn das Wetter so schön ist wie heute, werden die Pferde zum Putzen nach draußen geführt.

Samson mag es, wenn er von Moni geputzt wird. Sie redet freundlich mit ihm, während sie ihn am Stallhalfter nach draußen führt. Samson spitzt die Ohren, als verstünde er jedes Wort.
Hier sieht man Moni beim Hufauskratzen. Das ist sehr wichtig, denn ein Pferd mit schmutzigen Hufen, das ist so, wie wenn ihr ständig mit Sand im Schuh herumlaufen müßtet. Moni entfernt mit dem Hufkratzer alles, was sich festgesetzt hat. Dabei achtet sie darauf, daß der „Strahl", das ist ein keilförmiges, empfindliches Hornstück am Huf, nicht verletzt wird.
„Bei Prinz ist ein Eisen locker!" ruft Jessica, die ihr Pferd ein Stück entfernt festgebunden hat. „Ich muß gleich zum Schmied reiten." Am Sonntag findet nämlich im Nachbardorf ein kleines Turnier statt. Samson, Prinz und noch drei andere von Onkel Alfreds Pferden sollen teilnehmen.
„Am besten reitest du gleich!" rät Moni und dann hilft sie Jessica, Prinz fertigzumachen, damit sie schnell fortkommt.

Samson sieht das nicht gerne und stampft ungeduldig.
Er möchte auch endlich fertiggeputzt werden!
„Ich komm ja schon!“ seufzt Moni. Sie nimmt den Kasten mit dem Putzzeug und kommt zu ihm zurück.
Jetzt bürstet sie seine Mähne, bis sie glatt hängt und seidig glänzt. Die Mähne hängt immer auf der rechten Seite.
Für besondere Gelegenheiten, wie zum Beispiel morgen für das Turnier, wird sie eingeflochten.
Das Stirnhaar, das zwischen den beiden Ohren herunterhängt, nennt man den Schopf. Seine beiden Ohren kann Samson übrigens einzeln bewegen, und man sieht ihnen an, wie er gelaunt ist. Wenn er beide Ohren nach vorne stellt, wie hier auf dem Bild, dann ist er gut gestimmt und aufmerksam. Aber wehe, wenn er beide Ohren flach nach hinten legt. Dann ist Vorsicht vor Zähnen und Hufen geboten und Moni muß schnell herausfinden, was an seinem Unbehagen schuld ist. Aber das kommt sehr selten vor, denn Samson ist ein liebes und geduldiges Pferd.
Besonders hübsch sind seine Augen. Sie sind groß und glänzend. Obwohl sie nach vorne gerichtet sind, kann er damit weiter nach hinten sehen als ein Mensch.

Jetzt wird der Schweif „verlesen“. Alle Strohreste und aller Schmutz müssen daraus entfernt werden.
Moni paßt auf, daß dabei keine Haare ausgerissen werden, denn da würde Samson genauso empfindlich reagieren wie Kinder beim Kämmen.
Nun wird die „Schweifrübe“, so nennt man den Schweifansatz, noch mit einem feuchten Schwamm gesäubert. Mit einem anderen Schwamm werden Augen und Nüstern gereinigt.
Dann nimmt Moni den Striegel und entfernt in kräftigen, kreisförmigen Bewegungen Schmutz- und Schweißreste aus dem Fell. Mit der Kardätsche bürstet sie feinen Staub aus dem Fell. Zum Schluß reibt sie Samson mit einem sauberen Lappen ab, bis das Fell glatt und glänzend aussieht.
„Der blitzt ja blanker als meine Sonntagsschuhe!“ lobt sie Onkel Alfred, als er aus dem Haus kommt und klopft Samson anerkennend am Hals.
„Kann ich jetzt ausreiten?“ fragt Moni.
„Du könntest Jessica entgegenreiten“, schlägt Onkel Alfred vor.

Moni läuft in die Sattelkammer, um Sattel und Zaumzeug zu holen. Samson wiehert vergnügt, denn er weiß, daß er nun bald loslaufen darf.
Beim Satteln und Aufzäumen steht Moni immer auf der linken Seite. Wenn man genau weiß, wie es gemacht wird, ist es nicht schwer. Moni streift Samson zuerst den Zügel über den Kopf. Dann öffnet sie das Maul vorsichtig mit einem Druck auf die „Laden", das ist eine sehr empfindliche Kieferstelle zwischen den Schneidezähnen und Backenzähnen des Unterkiefers.
In diese Lücke wird auch das Gebiß vorsichtig hineingelegt. Dieses Metallstück übt vom Zügel her auf das Maul Druck aus und macht das Pferd „lenkbar". Jetzt hebt Moni das Genickstück über die Ohren. Dann legt sie den Schopf über den Stirnriemen und schnallt Nasenriemen fest und schließt den Kehlriemen. Die Riemen müssen ordentlich sitzen und die losen Enden dürfen nicht herumbaumeln. Jetzt ist Samson aufgezäumt. Nun holt Moni den Sattel.

„Bist du noch nicht bald fertig?“ scheint Samson zu fragen, als Moni den Sattel auflegt.
Sie läßt ihn vom Widerrist, das ist eine leicht erhöhte Stelle zwischen Hals und Rücken, nach rückwärts gleiten, bis er etwa in der Mitte von Samsons Rücken liegt. So wird das Fell in Richtung des Haarwuchses geglättet und der Sattel drückt nicht „gegen den Strich“. Jetzt läßt Moni auf Samsons rechter Seite den Sattelgurt herunter, bückt sich, führt ihn unter dem Bauch hindurch und schnallt ihn auf der linken Seite lose fest. Sie zieht ihn vorsichtig an, streicht dabei Haare und Haut glatt, damit es nicht drückt.
Jetzt ist Samson endlich fertig zum Ausreiten.
Und Moni?
Die holt noch rasch Reitstiefel und Kappe.
Ehe sie aufsitzt gurtet sie noch einmal nach.
Manchmal bläst sich Samson beim Festschnallen auf und wenn er den Atem wieder herausläßt, sitzt der Gurt zu locker und der Sattel könnte herunterrutschen.
Aber Moni läßt sich als erfahrene Reiterin natürlich mit solchen Tricks nicht mehr hereinlegen.
Endlich reiten die beiden los.

Der Ausritt ist das Schönste am ganzen „Pferdetag" findet Moni. Und Samson ist genau der gleichen Ansicht.
Sie reiten über den Wiesenweg zum Wald und nähern sich dem Dorf auf einem Umweg. Moni vermeidet die Hauptstraße wenn es geht, weil Samson Autos nicht leiden kann.
„Eigentlich müßte Jessica längst auf dem Rückweg sein!" denkt Moni und sieht auf die Armbanduhr.
„Die ist schon vor einer halben Stunde zurückgeritten", sagt der Schmied, als Moni nachfragt.
„Komisch, daß wir uns nicht getroffen haben", wundert sich Moni. Aber vielleicht ist Jessica ja an der Straße entlang geritten, weil das schneller geht.
Moni beschließt, den Ausritt noch etwas auszudehnen und zu dem kleinen Badesee zu reiten, von dem ihr Peter erzählt hat. Er hat mit den Pfadfindern im vergangenen Jahr eine Woche dort gezeltet. Der See ist nicht weit und bald sieht Moni die bunten Zelte eines Camping-Platzes vom anderen Ufer herüberleuchten. Und wer steht dort am Ufer? Ein Pferd! Ein Pferd, das genau wie Prinz aussieht! Ob er Jessica davongelaufen ist? Moni beschließt der Sache auf den Grund zu gehen . . .

Es ist tatsächlich Prinz! Aber er ist festgebunden. Also kann er nicht weggelaufen sein. Aber wo ist Jessica? Was sucht sie am Camping-Platz?
Samson und Prinz begrüßen sich mit lautem Wiehern. Moni sitzt ab und bindet Samson ebenfalls an einer Weide fest. Als sie auf den Camping-Platz zugeht, kommt ihr eine Gruppe lachender Leute entgegen. Mitten unter ihnen ist Jessica.
„Hallo, Moni! Wie hast du mich gefunden!" wundert sich Jessica. Aber ehe Moni antworten kann fährt sie fort:
„Das sind meine Eltern und Freunde. Sie wollten mich zum Wochenende überraschen und ich habe sie zufällig im Dorf getroffen, als sie ankamen. Meine kleine Schwester Sissy, von der ich dir soviel erzählt hab', ist auch dabei. Sissy . . . Sissy! – Wo ist sie denn?"
Aber die kleine Sissy ist nirgends aufzufinden.
In der allgemeinen Wiedersehensfreude hat sie sich unbemerkt davongemacht und ist auf Entdeckungsreise gegangen.
Jessica und ihre Eltern sind ziemlich aufgeregt.
„Keine Panik", sagt Jessicas Vater. „Das beste ist, wir suchen systematisch den ganzen Camping-Platz ab."
„Und wir nehmen die Pferde und durchforschen die nähere Umgebung!" schlägt Jessica vor.

Jessicas Eltern und ihre Freunde laufen überall herum. Sie fragen den Campingwart, den Eismann und die Frau am Zeitungskiosk. Aber keiner hat Sissy gesehen.
„Sie hatte einen roten Mantel an, weil sie etwas erkältet ist", sagt Sissys Mutter.
„Eine Kleine mit einem roten Mantel?" überlegt der Caravan-Fahrer, der gerade an der Schranke hält. „Ich glaub' sowas hab ich draußen in der Nähe der Straße herumlaufen sehen!"
Kein Wunder, daß Jessicas Eltern die Luft wegbleibt. Wenn die Kleine auf die Straße lief, was dann?
Der Caravan-Fahrer erbietet sich, die Eltern gleich zu der Stelle hinzufahren, an der er das Kind gesehen hat.
Aber da ist sie natürlich nicht mehr.
Doch da haben Moni und Jessica inzwischen einen kleinen roten Punkt neben einer weißen Bank entdeckt. Sie reiten darauf los, so schnell sie können.
„Sissy! Du Ausreißer! Gottseidank, da bist du ja!" ruft Jessica erleichtert.
Dann heben sie Sissy aufs Pferd und reiten zum Camping-Platz zurück.

Den größten Spaß hat Sissy bei der ganzen aufregenden Angelegenheit. Sie kräht vor Vergnügen, weil ihr das Reiten solchen Spaß macht.
Sie will gar nicht mehr absteigen.
„Die fängt ja früh an!“ stöhnt Jessica nach dem dritten vergeblichen Versuch, Sissy herunterzuholen.
Endlich kommen auch die Eltern wieder von der Suche zurück. Sie sind sehr froh, als sie Sissy quietschvergnügt sehen.
„Uns so eine Angst einzujagen!“ sagt der Vater vorwurfsvoll.
„Es ist auch unsere Schuld“, lenkt Jessicas Mutter ein.
„Wir hätten besser aufpassen müssen. Aber wir hatten uns so viel zu erzählen . . .“
„Kommen Sie morgen zum Turnier?“ erkundigt sich Moni.
„Natürlich! Wir möchten euch doch unbedingt reiten sehen!“ sagt Sissys Vater.
„Ich hab extra einen Farbfilm gekauft, damit ich Jessicas Stürze in Zeitlupe festhalten kann“ spottet Jessicas Bruder.
„Das hätte mein Bruder Peter auch sagen können!“ sagt Moni als die beiden Mädchen schließlich zum Hof zurückreiten.
Aber sie sind entschlossen, am nächsten Tag beim Turnier besonders gut abzuschneiden. Schließlich waren Samson und Prinz in Topform und der schadenfrohe Kameramann sollte sich wundern!

ISBN 3-8144-0561-7

Gesamtherstellung: westermann druck, Braunschweig
Printed in Germany